Sommaire

TON DOSSIER

TES RUBRIQUES

TES BD

Ce numéro comporte une planche de vignettes autocollantes posée sur une partie des exemplaires abonnés, ainsi qu'un encart Fleurus Presse sur la plupart des exemplaires abonnés.

CANADA
TERRE-NEUVE
1536
Golfe du Saint-Laurent
fleuve Saint-Laurent
fleuve Saguenay
Stadaconé (Québec)
Hochelaga (Montréal)
octobre 1535
Océan Atlantique
Saint-Malo

JACQUES CARTIER

Un récit de
Anne Vantal
illustré par
Cyrille Meyer

En 1534, le roi François Ier charge un marin de Saint-Malo, Jacques Cartier, de faire voile à travers l'Atlantique pour découvrir un passage vers la Chine et rapporter de l'or. Une expédition en plusieurs voyages qui aboutira à la découverte du Canada...

Merci à Gilles Foucqueron, président de l'Association malouine des amis de Jacques Cartier, d'avoir relu attentivement ce numéro.

Chronologie

- **1491 :** naissance de Jacques Cartier, à Saint-Malo.
- **1520 :** Cartier épouse Catherine, la fille d'un notable de Saint-Malo.
- **1520-1530 :** Cartier navigue beaucoup, sans doute au Brésil et à Terre-Neuve, où il part pêcher.
- **Avril-septembre 1534 :** premier voyage de Cartier vers le Canada. Il rentre en France avec à son bord deux Indiens qu'il présente au roi François Ier.
- **Mai 1535-juillet 1536 :** deuxième voyage au Canada. Cartier remonte le fleuve Saint-Laurent.
- **Mai 1541-septembre 1542 :** troisième voyage au Canada.
- **1542 :** Cartier se retire dans son manoir de Limoëlou, à Saint-Malo.
- **1557 :** Cartier succombe à une épidémie qui fait rage dans sa ville natale.

Personnages

JACQUES CARTIER

TAIGNOAGNY

DOMAGAYA

LE CHEF DONNACONA

1/En route !

31 juillet 1535

Penché au-dessus de sa table de travail, Jacques Cartier, le capitaine de *La Grande Hermine*, tient son journal de bord. Par la fenêtre minuscule entre un air délicieusement frais, et il entend les cris des mouettes et des autres oiseaux de mer qui suivent la nef* depuis qu'il a quitté le grand large pour s'approcher des côtes.

Sa plume court rapidement : « *La côte ici est bordée d'une grande rangée d'îles...* » Quand la voix de Thomas Fromont, son second, vient l'interrompre dans sa rédaction :

– Capitaine ! Nous arrivons près des hauts-fonds !

Cartier ferme le livre et monte sur le pont du navire. La manœuvre est délicate et seul le capitaine doit la diriger. Il connaît cet endroit : il y est venu l'an passé, lors de sa première expédition dans ces contrées nouvelles, et il sait qu'entre les îles se trouvent des bancs de sable sur lesquels on pourrait facilement s'échouer. Il fait réduire la voilure, pour naviguer le plus lentement possible. Dans le lointain, derrière lui, il distingue les

* Ce grand navire mesure 40 m de long et 8 m de large.

silhouettes de *La Petite Hermine* et de *l'Émerillon*, les deux autres vaisseaux* qui font partie du voyage. Devant lui, bien visibles, se trouvent des îlots bas couverts d'arbres. Cartier sait qu'il ne faut pas s'en approcher avant d'avoir doublé un cap repéré l'année précédente.

Les trois bateaux se faufilent à la queue leu leu dans l'étroit chenal et franchissent l'obstacle. Quel soulagement pour le capitaine ! Tout va bien : le 19 mai, il a quitté sa bonne ville de Saint-Malo** avec une centaine d'hommes. Les vents favorables lui ont permis de traverser l'océan en deux mois, et

* *La Petite Hermine* est un navire plus réduit appelé « courlieu ». *L'Émerillon* est un galion, de taille encore plus modeste.
** Voir fiche.

il se sent prêt à poursuivre la mission que lui a confiée le roi François, premier du nom. Thomas, qui se tient à son côté, semble avoir deviné ses pensées :
– Si Dieu veut, capitaine, nous trouverons un passage !
Jacques Cartier rêve. Il a déjà tant voyagé… Tout jeune, il est venu plusieurs fois jusqu'à Terre-Neuve*, pour y pêcher la morue. Plus tard, il a connu les rivages du Brésil. Ici, il a été, l'an dernier, le premier à aborder ces côtes qui n'ont pas encore de nom. Découvrira-t-il une voie pour s'enfoncer dans cette terre nouvellement découverte où personne encore ne s'est aventuré ? Ce passage lui permettra-t-il d'atteindre enfin la Chine ?

* Voir carte, p. 4.

2/Les baleines de la baie

14 août 1535

Les trois bateaux ont progressé le long de la côte avant de faire une halte. Ils sont restés plusieurs jours au mouillage dans une crique. Les hommes se sont reposés et ont effectué quelques réparations, avant de reprendre leur route. Dans le livre de bord, le capitaine décrit la baie immense dans laquelle il navigue et la baptise solennellement : « *Nous lui donnons le nom de baie du Saint-Laurent.* »

Ici, la mer est profonde et la navigation aisée. Thomas se charge des manœuvres. Sur le pont, Jacques est bientôt rejoint par Taignoagny et Domagaya, deux Indiens rencontrés lors de l'expédition précédente. Ce sont les fils du chef d'un village et Cartier a réussi à les convaincre, par gestes, de l'accompagner en Europe. Il a promis de les ramener chez eux au prochain voyage et, dans quelques jours, ils seront de retour dans leur village natal.

Les deux Indiens ont passé presque une année en France. Ils ont vite appris la langue et sont maintenant

capables de guider le capitaine.
– Regarde bien, la mer s'arrête ici, explique Domagaya.
– Comment est-ce possible ? répond Cartier, nous sommes entourés d'eau. Faites descendre un seau, ordonne-t-il à l'équipage, qu'on puisse goûter l'eau !
– Elle est douce, capitaine !
Un fleuve ! Ce n'est donc plus l'océan, mais un fleuve gigantesque dont Cartier vient de découvrir l'embouchure… S'il parvient à le remonter, il aura donc découvert le passage dont il rêve !
Bouleversé, il demande aux Indiens :
– Cette terre a-t-elle un nom ?
– Kanata*, voilà son nom. Et vers le nord commence

* Cartier transforma ce mot en « Canada ».

le Saguenay, le pays aux mille richesses.

Cartier n'en croit pas ses oreilles. De quelles richesses parle Domagaya ? Se pourrait-il qu'on trouve de l'or ?

– M'aideras-tu, Domagaya ? Me serviras-tu d'interprète pour explorer ton pays et le Saguenay* ?

Le jeune homme n'a pas le temps de répondre : des exclamations de surprise surgissent de toutes parts.

– Capitaine ! Capitaine !

Sur le pont, les marins sont très excités. Jacques se penche au-dessus de l'eau. Tout autour du navire plongent des centaines d'énormes baleines blanches et noires. Jamais, même à Terre-Neuve, le capitaine malouin** n'en a vu autant !

---

* Région qui porte le nom du fleuve. Voir carte, p. 4.
** Originaire de la ville de Saint-Malo.

3/Devant le roi

8 septembre 1535

«*Ici commence la terre et province du Canada* », note Jacques Cartier dans son livre. Les voici revenus à l'endroit qu'ils ont quitté l'an dernier ; Domagaya et Taignoagny se préparent à débarquer pour rejoindre leur famille.

En cette saison, les Indiens pêchent au bord du fleuve. Quand ils voient arriver les navires, ils se précipitent pour leur souhaiter la bienvenue. Aux marins ils offrent des anguilles fraîches, des melons et du pain. Pour les remercier, le capitaine leur remet de petits objets en verre de couleur. Les Indiens sont ravis.

Avertis par les pêcheurs, les habitants du village de Stadaconé* accourent vers le rivage. Quelle joie de revoir les deux fils du chef Donnacona ! Les femmes se mettent à chanter et à danser. Puis le chef fait préparer une barque et monte sur le bateau. Cartier assiste avec émotion aux retrouvailles entre le père et ses fils qui se lancent dans une conversation animée. Le capitaine devine qu'ils parlent des merveilles découvertes en France.

---

* À proximité de la future ville de Québec. Voir carte, p. 4.

– Mon père veut fêter notre retour. Viens dans trois jours à Stadaconé avec tes hommes, déclare Domagaya, quelques minutes plus tard.
Cartier aimerait ne pas trop s'attarder. Il souhaite repartir au plus vite pour explorer le fleuve en amont*, mais il doit respecter les traditions indiennes. Il ne peut pas refuser, surtout s'il veut emmener ses interprètes avec lui pour la suite du voyage.
Le jour dit, il se rend au village. Cartier s'étonne de reconnaître des chênes, des cèdres, des noyers. Ce Canada ne serait-il qu'un prolongement de sa Bretagne natale ? Mais les huttes et les clôtures de branchages de Stadaconé ne ressemblent guère aux remparts de Saint-Malo !
Tous les villageois, hommes, femmes et enfants, se sont rassemblés pour la fête. Cartier a pensé à apporter du

* Vers la source du fleuve.

pain et du vin français. Les Indiens viennent toucher les vêtements des marins malouins. On danse, on chante, et il est bien tard quand les Français remontent à bord.
Les jours passent et Jacques Cartier piaffe d'impatience. Lors de son dernier voyage, on lui a parlé d'Hochelaga*, un autre village qu'il rêve de voir de ses propres yeux. Enfin, au matin du 16 septembre, Taignoagny se présente devant lui.
– Notre père, Donnacona, refuse que nous repartions avec toi.
Cartier ne comprend pas : c'était pourtant une chose promise ! L'Indien explique :
– Ceux d'Hochelaga n'appartiennent pas à notre clan. Tu devrais renoncer à t'y rendre !
– J'ai promis à mon roi, le chef de France, d'aller le plus

* À l'emplacement de l'actuelle ville de Montréal. Voir carte, p. 4.

loin possible, insiste Cartier. Je dois absolument poursuivre mon voyage.

Mais les Indiens ne veulent rien entendre. Furieux et déçu, Cartier décide de partir tout de même. Tant pis s'il n'a pas d'interprète !

Le lendemain, ses compagnons reviennent. Auraient-ils changé d'avis ? Bien au contraire... Vêtus de fourrure et maquillés de charbon, ils affirment avoir reçu l'ordre d'empêcher le départ de Cartier.

– Nous avons interrogé nos dieux, ils t'interdisent de partir ! s'exclament-ils.

– Et pourquoi donc ?

– Tu ne trouveras à Hochelaga que de la glace et de la neige, et vous mourrez tous !

Cartier n'a que faire de ces conseils. Il remontera le fleuve jusqu'à Hochelaga, mais avec quelques hommes seulement. Les autres resteront à Stadaconé, pour y construire un fort : les arbres ne manquent pas, par ici, pour édifier une belle enceinte.

4/Hochelaga

Septembre 1535

Par précaution, Cartier est parti avec le plus petit de ses navires, *L'Émerillon*, au cas où le fleuve viendrait à se rétrécir. Le long de la rive, il distingue des vignes sauvages, des bois de chênes et de saules. Quand les marins croisent des pêcheurs, ils échangent des poissons contre quelques couteaux. Comme le sol est fertile ici ! À tout instant, des milliers d'oiseaux déchirent l'air de leurs cris.

À la fin du mois, Cartier parvient à un grand lac.

– Impossible d'aller plus loin, capitaine ! La rivière n'a pas assez de fond au-delà !

Mais il en faut davantage pour décourager Cartier. Il en a vu d'autres ! Il fait préparer deux grandes barques et y loge une quarantaine d'hommes, laissant un équipage réduit à bord de *L'Émerillon* pour attendre son retour.

Début octobre, la silhouette d'une montagne se dessine à l'horizon. À mesure que les barques s'approchent, un gros village circulaire entouré de clôtures se distingue au pied de la colline. Voilà enfin Hochelaga ! Cartier

baptise immédiatement la montagne :
– Nous l'appellerons Mont-Royal ! s'écrie-t-il.
Le village, bien plus gros que Stadaconé, compte une bonne cinquantaine de maisons longues couvertes de toits en écorce de bouleau.
Dès le lendemain, Jacques Cartier et ses marins franchissent l'impressionnante porte qui ferme l'enceinte. Sur la place principale, les Français découvrent plusieurs centaines d'Indiens venus observer de plus près ces étranges visiteurs. On les fait asseoir sur des nattes. Un vieil Indien s'approche d'eux. C'est sûrement le chef : pour l'occasion, il s'est coiffé d'une grande parure rouge

ornée de piquants de porc-épic. Cartier aimerait tellement pouvoir parler avec lui. Il maudit intérieurement le mauvais sort qui l'a privé de ses interprètes.
Mais voilà que le chef semble les prendre pour des sorciers... Il fait venir des malades et des estropiés! Comment faire comprendre à tous ces gens qu'un capitaine malouin n'est ni un guérisseur, ni un prêtre, ni un médecin! Pour ne pas trop les décevoir, il offre des couteaux et de petits bijoux de verre et fait jouer de la trompette à ses hommes, ce qui plaît beaucoup aux Indiens.
Cartier voudrait s'enfoncer davantage dans le continent

et remonter à pied le long du fleuve. À l'aide de petits bâtons et de cailloux, il se fait expliquer la géographie locale par les habitants d'Hochelaga. Hélas ! Le cours d'eau est bientôt interrompu par un grand saut* qui interdit le passage de la moindre embarcation. Et le Saguenay, alors ? Quand il en parle, Cartier fait naître chez les Indiens une peur panique ! Le Saguenay, lui explique-t-on par signes, est gardé par d'autres Indiens, féroces et dangereux…

Cartier hésite. Poursuivre l'expédition avec un petit nombre d'hommes n'est pas raisonnable. Mieux vaut retourner à Stadaconé et retrouver le reste de l'équipage. En outre, la température, ces jours-ci, s'est beaucoup rafraîchie. L'hiver n'est plus très loin.

* Chute d'eau, cascade.

5/Le grand hiver

Janvier 1536

Thomas et Jacques sont soucieux. L'aventure du Canada ne se déroule pas comme prévu.

– Nous ne pourrons pas explorer le Saguenay cette fois, capitaine ! La terre est gelée depuis des semaines et nos bateaux sont pris dans les glaces.

Le froid ici n'a rien de commun avec l'hiver de Bretagne. Pour résister aux températures glaciales, les Français se sont équipés de manteaux de loutre ou de castor, à la manière indienne. Pour se nourrir, il faut se contenter du poisson séché. Plus un légume ne pousse, plus un fruit sur les arbres. Il est même impossible de pêcher : le fleuve est durci en profondeur par la glace. Pour combien de semaines encore ?

Les hommes de Cartier vivent repliés dans le fort qu'ils ont construit à l'automne. Lorsque le temps sera plus clément, ils prendront le chemin du retour. Survivront-ils jusque-là ? Certains jours, Cartier en doute... ses marins ont très mauvaise mine. Les Indiens, dans leur village, ne valent guère mieux. Ce matin, le capitaine

a croisé Domagaya. L'Indien est malade, c'est certain : Cartier a remarqué ses jambes enflées qui dépassaient de sa pelisse*. La maladie est peut-être contagieuse. Immédiatement, le capitaine a fait fermer le fort et interdit d'en sortir. Mais il ne parvient pas à éviter le pire. Les hommes perdent leurs forces, leurs jambes gonflent, leurs dents tombent. En quelques semaines, le décompte est effrayant : presque tous sont atteints d'un mal jusque-là inconnu**.

Un matin, Thomas vient trouver le capitaine. Son émotion est grande, sa voix mal assurée :

* Manteau garni à l'intérieur de fourrure.

** On sait aujourd'hui qu'il s'agit du scorbut, une maladie liée à l'absence de vitamines. Elle survient quand on ne mange plus de fruits ni de légumes frais.

– Philippe, notre plus jeune marin, vient de trépasser. Cartier est accablé. Philippe avait 22 ans tout juste. Quelle folie de l'avoir entraîné jusqu'ici pour l'y voir mourir ! Les hommes meurent les uns après les autres. Ceux qui ne sont pas encore atteints se tiennent à distance, mais cela ne sert à rien : bientôt ils sont touchés à leur tour. Sur les cent dix hommes embarqués à Saint-Malo, dix à peine sont encore vaillants. Vont-ils tous périr si loin de la France ? Cartier en a oublié les richesses du Saguenay. Une seule chose lui importe : sauver ses compagnons.

6/De l'or pour le roi

Printemps 1536

En ce matin d'avril, le soleil brille et le temps paraît plus doux. La fin de l'hiver est proche. Jacques Cartier n'en peut plus d'être enfermé dans le fort et décide de sortir vers le village de Donnacona. Voici justement deux Indiens qui marchent à sa rencontre. Sidéré, Cartier reconnaît Domagaya, qu'il a vu si malade quelques semaines plus tôt : le garçon marche sans effort et ses jambes ont dégonflé ! Y aurait-il donc un remède à la terrible maladie ?

– Nous autres Indiens, nous savons soigner ce mal, explique Donnacona. Je t'apporterai la tisane. Les femmes la préparent avec les feuilles et l'écorce d'un arbre d'ici*. Donnes-en à tes hommes.

Il suffit de quelques jours : les hommes absorbent le breuvage et guérissent presque tous ! Hélas, beaucoup sont morts entre-temps, et Jacques Cartier sait qu'il doit songer au retour.

La glace du fleuve a fondu, libérant les bateaux qu'elle emprisonnait depuis des mois. Le capitaine de *La Grande*

* C'est le cèdre blanc.

Hermine fait préparer deux navires. *La Petite Hermine* ne reprendra pas la mer : il n'y a plus assez de marins pour la faire naviguer.
Cartier est inquiet. Son roi sera-t-il satisfait ? Ce n'est pas certain. Thomas essaie de le rassurer :
– Nous avons remonté le fleuve jusque loin dans les terres, nous avons découvert de nouvelles plantes fort utiles, nous avons vu des animaux étranges*, nous avons observé les coutumes de ceux d'ici, nous avons dressé des cartes de cette terre nouvellement explorée ! Que voulez-vous de plus ?
Mais Cartier ne rapporte ni or ni pierres précieuses. Il songe aux richesses du Saguenay, que les Indiens disent connaître. Il lui vient une idée.
– Chef Donnacona, toi aussi, tu vas connaître la France et mon roi. Je t'emmène avec moi !
Sur le pont, Cartier a repris espoir. Il présentera le chef de Stadaconé à François Ier et lui parlera du fabuleux Saguenay. Et le roi, enchanté, commandera une nouvelle expédition… Alors, peut-être, Jacques Cartier reviendra-t-il une troisième fois sur cette terre sauvage, pour y découvrir, enfin, l'or du Saguenay.

---

* Voir fiche.

Épilogue

À son retour en France, le 16 juillet 1536, Jacques Cartier n'a déjà qu'une idée en tête : obtenir du roi qu'il finance une troisième expédition. Il présente le chef Donnacona à François Ier. L'Indien continue à parler d'or et de pierres précieuses. Mais Cartier devra attendre six ans avant de repartir. De ce troisième voyage, le capitaine rapportera enfin quelques trésors : de l'or et des diamants... Hélas ! L'expertise montrera que ce ne sont que des cailloux de pyrite et de quartz ! Cartier ne traversera plus jamais l'Atlantique. Mais il demeure, pour l'histoire, le découvreur du Canada.

FIN

DES MOTS POUR AVOIR LE PIED MARIN

Appareillage
Manœuvre de départ pour quitter un port ou un mouillage.

Mouillage
Lieu où le navire décide de jeter l'ancre pour s'arrêter.

Bâbord
Partie gauche du bateau, quand on regarde vers l'avant.

Tribord
Partie droite du bateau, quand on regarde vers l'avant.

Astrolabe
Appareil servant à déterminer la position du navire en mesurant la hauteur d'un astre dans le ciel.

Boussole
Cet instrument comporte une aiguille aimantée qui indique le nord.

Quadrant
Il permet de calculer la latitude.

Latitude
Position d'un point du globe au nord ou au sud de l'équateur (cercle imaginaire situé à égale distance de chacun des deux pôles).

Longitude
Position d'un point du globe à l'est ou à l'ouest du méridien de Greenwich (ligne imaginaire qui passe par les deux pôles).

Armateur
C'est le propriétaire d'un bateau de pêche ou de commerce.

Quart
Service de veille, généralement d'une durée de quatre heures, assuré par l'équipage à tour de rôle.

ZONE FUMEURS

Au 16e siècle, les Européens ne connaissaient encore ni le tabac ni la pipe. Quelle surprise pour Cartier de voir les Indiens fumer le calumet! « Ils s'emplissent le corps de fumée, tellement qu'elle leur sort par la bouche et par les narines, comme par un tuyau de cheminée! » a-t-il noté dans son journal.

CURIEUX!

Les Indiens ont été très impressionnés par les marchandises des Européens. Parfois, ils se les sont appropriées de façon surprenante. Ainsi, des chaudrons sont devenus des percussions dotées d'un pouvoir magique et des ciseaux, des bijoux portés autour du cou!

BALEINES ET CORSETS

Au 19e siècle, les femmes à la mode portaient des robes si serrées que, pour les enfiler, elles devaient emprisonner leur taille dans un corset très rigide. Il était fabriqué avec… des fanons de baleine, les cartilages tout en longueur qui ferment la mâchoire de ces gros cétacés!

QUEL MICMAC!

Avant Cartier, des Basques et des Bretons s'étaient aventurés dans le golfe du Saint-Laurent pour pêcher la baleine et la morue. La preuve: la langue parlée par les Indiens micmacs comportait plusieurs mots basques qu'ils utilisaient avec les pêcheurs français. D'ailleurs, le mot « iroquois » vient du basque et signifie « tueur »!

DEVINETTE

Quel est le point commun entre des mocassins, un totem et un toboggan? Réponse: tous ces mots ont été empruntés à la langue des Indiens algonquins!

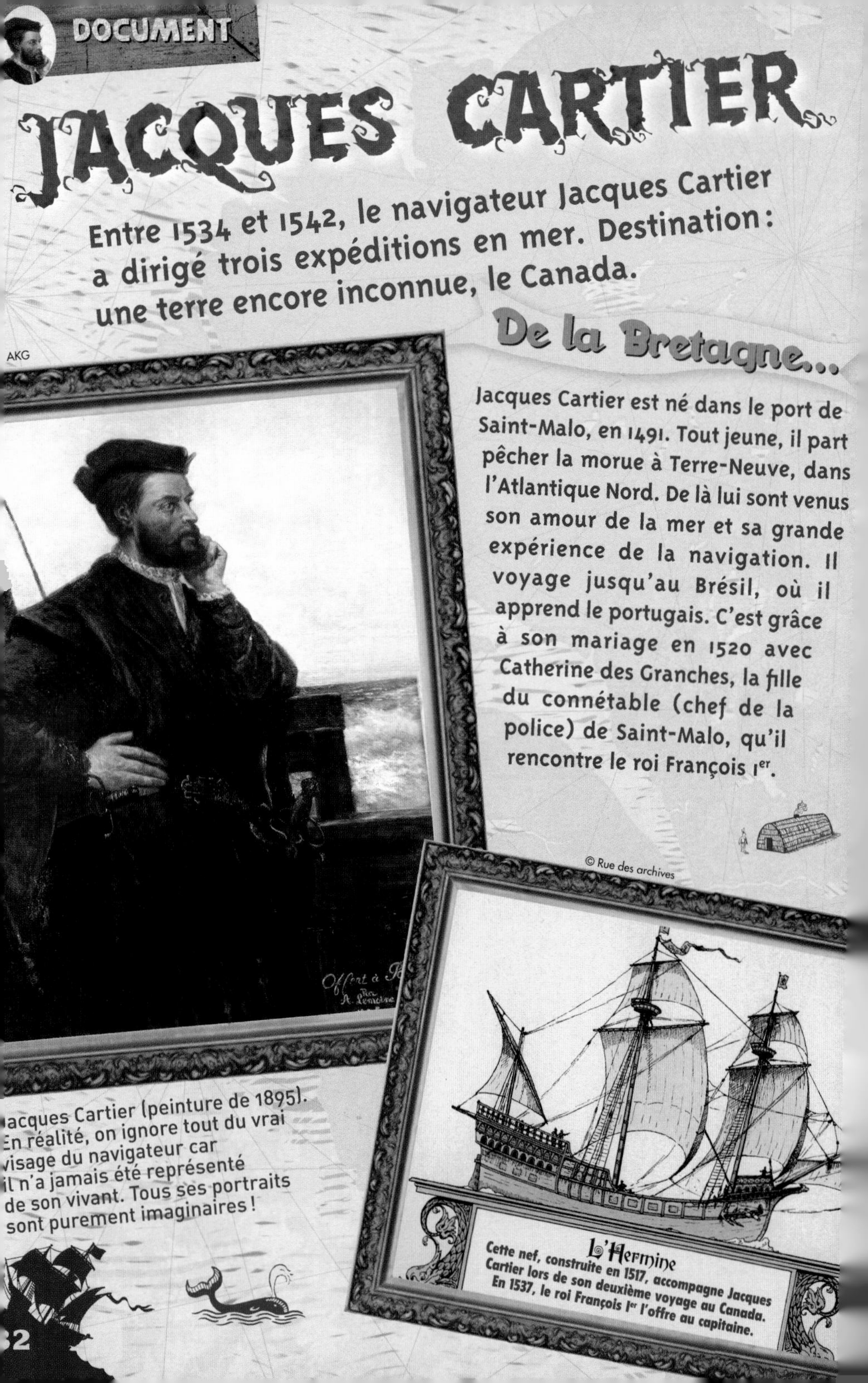

JACQUES CARTIER

Entre 1534 et 1542, le navigateur Jacques Cartier a dirigé trois expéditions en mer. Destination : une terre encore inconnue, le Canada.

De la Bretagne...

Jacques Cartier est né dans le port de Saint-Malo, en 1491. Tout jeune, il part pêcher la morue à Terre-Neuve, dans l'Atlantique Nord. De là lui sont venus son amour de la mer et sa grande expérience de la navigation. Il voyage jusqu'au Brésil, où il apprend le portugais. C'est grâce à son mariage en 1520 avec Catherine des Granches, la fille du connétable (chef de la police) de Saint-Malo, qu'il rencontre le roi François Ier.

AKG

Jacques Cartier (peinture de 1895). En réalité, on ignore tout du vrai visage du navigateur car il n'a jamais été représenté de son vivant. Tous ses portraits sont purement imaginaires !

© Rue des archives

L'Hermine

Cette nef, construite en 1517, accompagne Jacques Cartier lors de son deuxième voyage au Canada. En 1537, le roi François Ier l'offre au capitaine.

© Bridgeman

Arrivée de Jacques Cartier au Canada lors de son troisième voyage (1542). En arrière-plan est dessinée la carte de la Nouvelle-France.

...Au Canada

En 1534, le roi François Ier confie à ce marin très expérimenté une double mission : trouver un passage vers la Chine et rapporter de l'or. Le 20 avril 1534, le capitaine quitte Saint-Malo avec 2 bateaux et 60 hommes. Il dépasse Terre-Neuve à la mi-mai. Tout l'été, il explore les îles de l'embouchure du Saint-Laurent sans trouver l'entrée du fleuve. Il établit les premiers contacts avec les Indiens de la région et revient en France avec deux d'entre eux pour les présenter au roi. L'année suivante, Cartier repart avec 3 navires et 110 marins. Cette fois, il remonte le fleuve Saint-Laurent et rentre avec de nouveaux Indiens, mais sans or ni pierres précieuses ! Le roi est déçu.

La Nouvelle-France

Cartier doit attendre l'année 1542 pour repartir, mais sous les ordres d'un autre capitaine, Jean-François de Roberval. Il s'agit moins d'explorer que de tenter de coloniser cette nouvelle terre appelée Nouvelle-France pendant toute la domination française. L'expédition est un échec. Cartier ne reverra jamais le Canada...Il meurt d'une épidémie de peste ou de grippe en 1557.

À VISITER...

Jacques Cartier a son musée ! À Saint-Malo, le manoir de Limoëlou, où le capitaine a vécu, présente sa vie, ses voyages et le Canada.

© Musée Jacques Cartier

Musée Jacques-Cartier, rue David-Macdonald-Stewart, 35400 Saint-Malo. http://www.musee-jacques-cartier.com Tél. : 02 99 40 97 73. Ateliers pédagogiques pour les classes.

LES INDIENS DU CANADA

Au Canada, Jacques Cartier rencontre des « Indiens » qui n'ont, bien entendu, rien à voir avec l'Inde ! Les Français découvrent alors des peuples qu'ils appellent « Sauvages ».

Les « Indiens » d'Amérique

Quand, en 1492, le navigateur Christophe Colomb découvre l'Amérique, il croit avoir atteint l'Inde par une nouvelle voie maritime. Il est donc convaincu que les hommes qu'il rencontre sont des « Indiens ». Le nom est resté ! Mais, pour éviter toute confusion, on préfère aujourd'hui parler des Amérindiens. Le Canada les désigne officiellement sous le terme de « Premières Nations ».

© Leemage

Pêcheurs algonquins. Pour capturer les poissons, ils utilisent des lances.

© Bridgeman

Un campement indien, près du lac Huron (peinture du 19e siècle).

Un chef iroquois en 1710.

Des Indiens aux mœurs étranges

Il existe de nombreuses familles d'Amérindiens, réparties sur tout le territoire américain. Au Canada, Cartier lie connaissance avec des Iroquois et des Micmacs. Champlain sera en contact avec des Algonquins, des Iroquois et des Hurons. La rencontre entre les deux civilisations est un choc ! En Europe, ces peuples sont considérés comme des gens sans lois ni religion. On les appelle les « Sauvages ». Pourtant, les Indiens ont des modes de vie organisés : les Algonquins, nomades, vivent de chasse et de cueillette. Les Iroquois et les Hurons, eux, construisent des villages et sont agriculteurs.

Des tribus en conflit

Lorsque Cartier arrive, les différents groupes d'Indiens ne font pas toujours bon ménage et s'affrontent dans des guerres internes. À la fin du 16e siècle, les Iroquois forment une alliance entre tribus (Mohawks, Oneidas, Onondagas, Cayugas et Senecas) : la ligue des Cinq-Nations. La colonisation européenne, qui se poursuit après Cartier, relancera les conflits entre tribus. Les Iroquois s'opposeront aux Hurons, devenus les alliés des Français. Enfin, les maladies infectieuses introduites par les colons décimeront les Indiens.

Hochelaga, au 16e siècle. Les maisons iroquoises abritent plusieurs familles et mesurent 10 m de large et 70 m de long.

HOCHELAGA, VILLE INDIENNE

En arrivant à Hochelaga (aujourd'hui Montréal), Cartier découvre un « grand » village iroquois. Une cinquantaine de maisons en bois entourent une vaste place. Les habitations, tout en longueur, sont couvertes d'écorces de bouleau et fermées par des nattes de jonc. À l'intérieur, ni meubles ni cloisons : on dort dans des couchettes installées le long des murs. Au-dessus se trouvent des greniers où sont suspendus des poissons séchés et entreposées des céréales.

LA CONQUÊTE DU NOUVEAU MONDE

Les marins de l'Antiquité sillonnaient la Méditerranée. Plus tard, les Arabes ont navigué jusqu'à l'Inde. Mais il a fallu attendre Christophe Colomb et ses successeurs pour s'aventurer au-delà des océans...

Portrait de Christophe Colomb (peinture du 16e siècle).

© AKG

Christophe Colomb, le pionnier

La fin du 15e siècle marque le début des grandes expéditions maritimes à la recherche de terres inconnues. Tout commence en 1492, date de la traversée de l'Atlantique par Christophe Colomb. Parti du Portugal, il a abordé, en réalité, sur une île des Antilles... en se croyant arrivé en Asie ! Bientôt, on commence à comprendre que ces terres ne sont pas l'Asie. En 1504, le Florentin Amerigo Vespucci décide d'explorer ce Nouveau Monde. Il refait le voyage de Colomb et aborde cette fois sur le continent : c'est en raison de son prénom que ces terres sont baptisées « Amérique ».

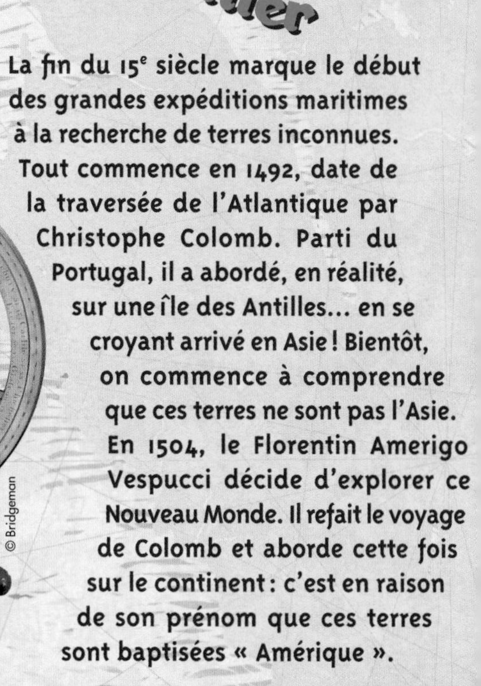

Avec cet anneau astronomique, les navigateurs calculaient la longitude (modèle du 18e siècle).

© Bridgeman

a nef *Victoria* de Magellan (1480-1521), avigateur portugais qui réalisa e premier tour du monde.

© AKG

Boussole du 16e siècle.

© Leemage

Ce quadrant (16e siècle) servait à mesurer la hauteur du soleil en mer.

© Leemage

De grandes découvertes

En 1519, Fernand de Magellan navigue dans l'Atlantique Sud et trouve un passage (qui s'appelle, depuis, le détroit de Magellan) vers un nouvel océan, le Pacifique. Les territoires d'Amérique du Sud, riches en pierres précieuses, déchaînent bientôt la convoitise de toutes les nations occidentales, mais c'est l'Espagne qui s'impose lorsque Hernán Cortés conquiert le Mexique (entre 1519 et 1521) et que Francisco Pizarro découvre le Pérou dix ans plus tard. Il reste aux Français à réussir plus au nord ; c'est ainsi que François Ier désigne Jacques Cartier pour monter l'expédition qui le conduira au Canada. Au cours des siècles suivants, des explorateurs européens venus du Portugal ou d'Espagne, mais aussi de France, d'Angleterre ou de Hollande, vont s'aventurer de plus en plus loin et découvrir, petit à petit, les pôles, l'Australie et l'embouchure du Mississippi...

© Leemage

Un astrolabe terrestre de l'époque des grandes découvertes.

CAP SUR LE CANADA

Retrouve toute notre sélection sur : www.espiegle.org/jldhv.htm

Sans navire ni boussole, explore à ton tour le Canada du bout de la souris de ton ordinateur...

http://www.cartier.f2s.com/cartier.htm
Ici, les trois voyages de Jacques Cartier sont racontés en détail. Tu y trouveras aussi de nombreux liens vers des sites consacrés aux grands navigateurs, aux Amérindiens et au Québec.

Les explorateurs

http://www.civilization.ca/vmnf/explor/explcd_f.html
Un site canadien pour découvrir les portraits des plus grands explorateurs du Grand Nord. Un chapitre entier sur Jacques Cartier avec les cartes de ses trois voyages.

Les Premières Nations

http://www.civilization.ca/vmnf/premieres_nations/fr/iroquoiens/index.html
Petite présentation des Indiens du Canada : les Iroquois, les Algonquins, les Hurons et les autres Premières Nations de la Nouvelle-France. Intéressante galerie de photos, avec des cartes anciennes et des photos d'objets de la vie quotidienne.

Et si on parlait québécois ?

http://perso.orange.fr/alain.perron/Parlurequebecoise.htm
Les Québécois parlent le français, à quelques subtilités près tout de même ! Ainsi, « chauffer un char » signifie conduire une voiture, « prendre une marche », faire une promenade à pied et « magasiner », faire les boutiques. Plein d'autres mots et expressions sont à découvrir sur ce site. Et ceux qui veulent parler avec l'accent trouveront même des précisions sur les prononciations !

BIBLIOTHÈQUE DE BORD...

Un DVD, des jeux et des livres à mettre dans ta valise. Bon voyage !

Dans ce DVD, Fred part sur les traces de Jacques Cartier, à la découverte de la Nouvelle-France. L'occasion pour son compère Jamy de revenir sur l'histoire du Canada jusqu'à aujourd'hui.
À la découverte du Nouveau Monde, Fred et Jamy,
DVD France Télévisions, 22,50 €.

Idéal pour les vacances, ce cahier de mots croisés à faire sur la plage ou dans le train. Des cartes, des textes, des dessins mais aussi des énigmes, des rébus et des jeux t'accompagnent dans un voyage hors du commun !
Les Grandes Découvertes par les mots croisés,
Éric Battut et Daniel Bensimhon,
Retz, 6,90 €.

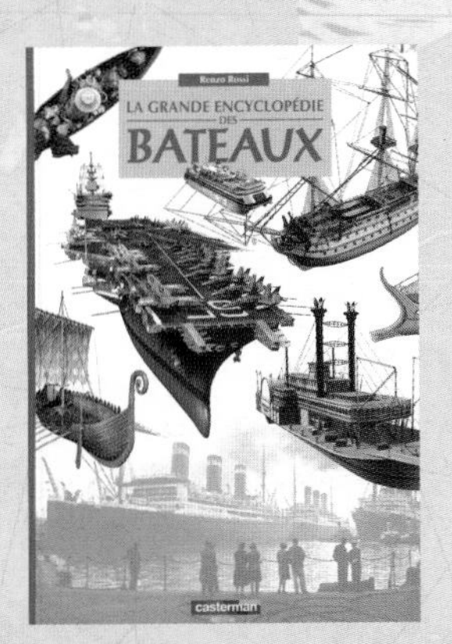

Des galions des explorateurs aux porte-avions, en passant par les bateaux de pirate et les jonques chinoises... Une encyclopédie très riche avec de belles illustrations et des plans de navires. À la fin, un glossaire t'aidera aussi à retenir les mots difficiles. Bon vent !
La Grande Encyclopédie des bateaux, Renzo Rossi,
Casterman, 19,50 €.

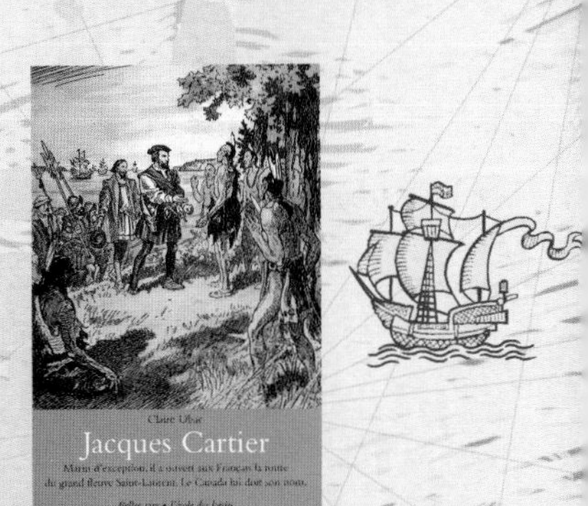

Embarque avec l'équipage de Cartier pour trois voyages à la découverte du Canada et à la rencontre des Indiens. L'occasion de faire le point sur la connaissance du monde à l'époque des grandes découvertes. Passionnant !
Jacques Cartier, Claire Ubac,
L'École des loisirs, 8,50 €.

LA GRANDE HERMINE

Apprends à dessiner le bateau de Cartier en suivant ces six étapes.

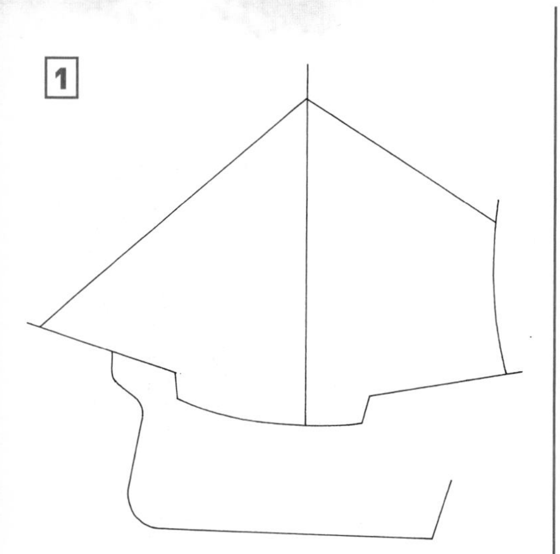

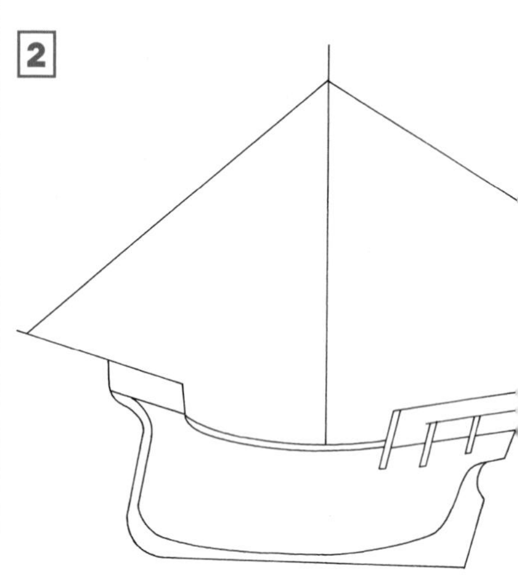

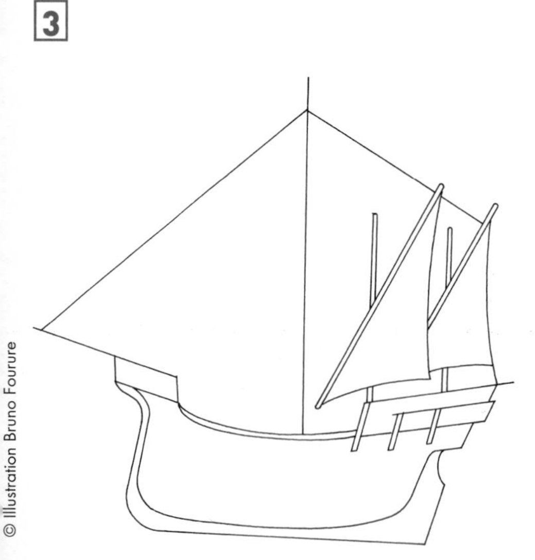

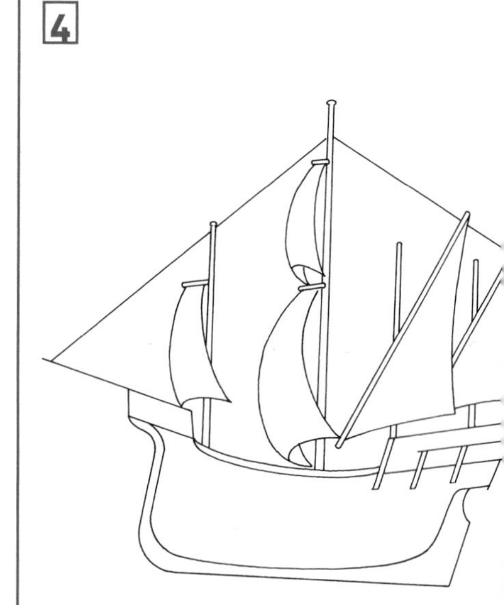

Le sais-tu ?

Dans l'Antiquité et au Moyen Âge, les marins se dirigeaient en se repérant la nuit à la position des astres. À l'époque des grandes découvertes, des navigateurs comme Jacques Cartier s'aidaient de la boussole*, inventée depuis longtemps par les Chinois, mais connue des Occidentaux seulement à partir du 13e siècle. Ils utilisaient aussi des astrolabes*, pour calculer précisément la position du navire par rapport aux étoiles.

* Voir lexique, p. 30.

Grand concours

1er PRIX

Un ordinateur

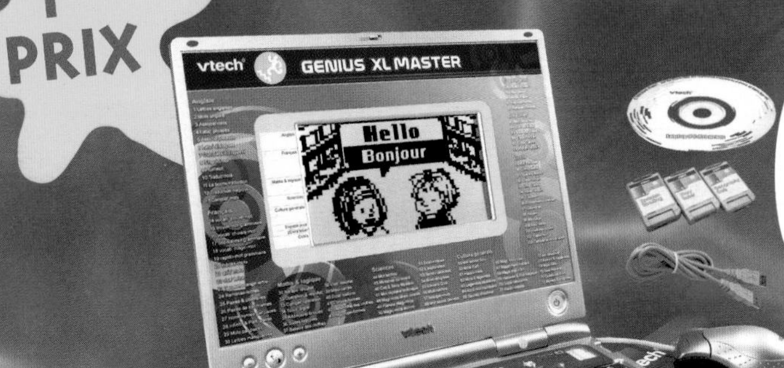

Extra-plat, avec sa vraie souris, c'est la copie de l'ordinateur portable dernier cri. Guidés oralement, les enfants curieux ont accès à 105 activités de français, maths, anglais, culture générale ou sciences sur 3 niveaux progressifs et dans les 2 langues.

Vente à distance :
www.fnaceveiletjeux.com
Allô commande :
0 892 350 777 (0,34 €/min)

Du 2e au 3e PRIX

Un coffret microscope

Ce microscope d'une excellente qualité optique, qui grossit de 100 à 1200 fois, permet de réaliser un grand nombre d'expériences à puiser dans le livre fourni avec.

Du 4e au 8e PRIX

Une ceinture explorateur

Voici une ceinture avec le sifflet de signalisation, la boîte à récupérer les insectes et même la cape en plastique en cas d'averse imprévue !

Vente à distance :
www.fnaceveiletjeux.com
Allô commande :
0 892 350 777 (0,34 €/min)

de l'été 100 cadeaux à gagner

Du 9e au 23e PRIX

Un jeu TÊTÉOÙ? TACTIC

Mais qui a changé de place? Mémorise bien les emplacements des neuf têtes sur le plateau. Elles sont toutes différentes par leurs combinaisons de couleurs et leurs expressions. Et maintenant, quelles sont les deux têtes qui ont été déplacées pendant que tu avais le dos tourné? Un jeu qui convient à tous les âges.

Du 24e au 43e PRIX

Une lampe frontale

Cette lampe frontale te permet de garder les mains libres pendant les explorations de nuit.

Vente à distance :
www.fnaceveiletjeux.com
Allô commande :
0 892 350 777 (0,34 €/min)

Du 44e au 70e PRIX

Un super-livre

Si tu possèdes un télescope, ce petit livre est un complément idéal pour te repérer dans le ciel. Il est facile à emporter lors d'une balade au clair de lune ou par une belle nuit étoilée!

Vente à distance :
www.fnaceveiletjeux.com
Allô commande :
0 892 350 777 (0,34 €/min)

Du 71e au 100e PRIX

Un hors-série dinosaures

Tout savoir sur les dinosaures, les mammouths et les premiers hommes préhistoriques...

Offert par Histoires Vraies

Pour participer, il te suffit de téléphoner, avec l'autorisation de tes parents, au 0 892 690 796* du 26 juin au 17 août 2007, et de donner tes coordonnées.**

100 gagnants seront tirés au sort.

(* 0,34 €/min) Jeu-concours réservé aux enfants de 7 à 13 ans.

** Si tu vis à l'étranger, indique-nous une adresse en France métropolitaine où nous pourrons envoyer ton cadeau dans un délai de deux mois.

Drôle d'oiseau

NUGGET & RICO

Moi aussi je sais parler sa langue : Tchip ! Tchop !
Tchip ?

Tchiiiip ! Tchoooooop !
?
?

Tchip ! Tchop !
Ah ! Ah ! Ah ! Ah !

Une semaine plus tard...
Au moins, avec nous, il aura connu la civilisation !
Au revoir, mon ami !
Tchip !

Tchip ! Tchip ! Tchop ! Tchop ! ... Tchip ! *
* Traduction :
Ils ne sont pas méchants, mais plus ils sont grands, plus ils sont bêtes !

Mots CRoisés

Horizontalement

1 Beaucoup de marins de Cartier ont attrapé cette maladie parce qu'ils ne mangeaient pas de fruits ni de légumes.
2 Cet animal aux innombrables piquants se roule en boule dès qu'il est attaqué.
3 Cette amie du castor a une longue queue, une tête ovale, de grandes moustaches et vit au bord de l'eau.
4 Haddock en est un, même s'il ne commande pas de navire.
5 Ces Indiens à la crête menaçante étaient réputés pour être de redoutables guerriers.
6 Au temps de Cartier, on pêchait la morue au large de cette île.
7 Cette grande ville québécoise est située sur le Saint-Laurent.
8 La plus célèbre s'appelle Moby Dick.
9 Si tu étudies bien cette matière, tu sauras placer les villes et les pays sur la carte du monde.

Verticalement

1 Le plus grand navire de l'expédition Cartier porte le nom de cet animal blanc.
2 Plus elle est élevée, plus tu as de la fièvre !
3 Les habitants de cette ville s'appellent les Malouins.
4 Pour faire un beau pâté sur la plage, il en faut quelque 200 millions de grains !
5 Bécassine est la star de cette région.
6 Harry Potter est l'un des plus connus d'entre eux !
7 C'est lui qui a découvert l'Amérique en 1492.
8 Si tu veux faire de la brandade ou des acras, fais bien dessaler ce poisson de mer !
9 Aussi appelé carnet de bord, le capitaine le remplit soigneusement chaque jour.

solutions page 58

Mot mystère

Aide-toi des lettres dans les cases orange pour répondre à cette question :
Quel est l'arbre dont la sève donne un sirop très apprécié des Québécois ?

Les noeuds marins

Aide les cinq navigateurs à retrouver leur navire. Décode le nom de chacun et celui de son bateau en sachant que A = 2, B = 4, C = 6...

La *Santa María* de Christophe Colomb, tout comme *La Grande Hermine* de Jacques Cartier, étaient des nefs. Ces vastes vaisseaux étaient bien adaptés aux longues traversées. On y stockait les vivres et le matériel. En revanche, pour explorer les côtes, on utilisait des bateaux plus légers et plus faciles à manipuler, comme la caravelle remplacée par le galion à partir du milieu du 16e siècle.

solutions page 58

La pêche aux oiseaux

L'un des portraits n'est pas celui d'un marin du navire. Lequel ? Combien faut-il capturer d'oiseaux pour qu'il y ait autant de poissons que d'oiseaux ? Déchiffre ce que dit l'heureux capitaine à ses marins.

solutions page 58

Tout en haut du mat des navires des explorateurs
se trouve une petite plate-forme, appelée
le « nid-de-pie » ou la « hune ». C'est le poste
d'observation du matelot de vigie. Ainsi perché,
il observe la mer pour prévenir des dangers
et scrute l'horizon pour voir si la terre est proche.
D
E
C
iL
ELLE
...
V'
!
l'
2
!

UNE ÎLE ACCUEILLANTE

Remets les images dans l'ordre pour comprendre cette histoire.

solutions page 58

je lis des **Histoires Vraies**

De fabuleuses histoires à dévorer

1 an - 11 numéros

46 €

soit un numéro gratuit*

En cadeau

Le kit d'archéologie

A l'aide des outils fournis votre enfant creuse le bloc de plâtre pour découvrir 4 reproductions d'objets ou statuettes issus des civilisations égyptienne, chinoise, grecque et maya.

Avec ce jeu original qui associe la patience et la minutie au plaisir de la découverte, votre enfant aimera en savoir plus sur ces civilisations disparues.

Taille du bloc : 18 x 10 cm

* Par rapport au prix de vente au numéro/photo non contractuelle.

Bon d'abonnement

Je retourne ce bulletin avec mon règlement à : Fleurus Presse, B440 - 60731 Ste Geneviève Cedex

Oui, j'abonne mon enfant à  **et il reçoit le kit d'archéologie.**

❒ **pour 1 an, 11 numéros à 46 €** au lieu de ~~50,60~~ € (soit 1 numéro gratuit).
❒ **pour 1 an, 11 numéros + 2 hors-série à 54 €** au lieu de ~~61,60~~ € (soit 12 % d'économie).

NOM
Prénom ❒ fille ❒ garçon
Adresse

Code postal | | | | | | Ville
Téléphone | | | | | | | | | | | Né(e) le : / /
E-mail :

❒ Mes coordonnées sont différentes de celles de l'enfant abonné, je les indique sur papier libre.

Vous pouvez aussi vous abonner par téléphone : N° Indigo 0 825 851 854 (0,150 € TTC / MN)
en précisant le code offre **X16420**.

MODE DE PAIEMENT

❒ Chèque bancaire ou postal à l'ordre de Fleurus Presse
❒ Carte bancaire : n° |_|_|_|_|_|_|_|_|_|_|_|_|_|_|_|_|
Expire fin : |_|_|_|_|
Notez les 3 derniers chiffres du n° inscrit au dos de votre carte, près de la signature : |_|_|_|

Signature obligatoire

Offre d'abonnement limitée au 31/10/2007 et valable en France métropolitaine. Pour abonner d'autres enfants, recopiez ce bulletin sur papier libre ou par téléphone ou www.fleuruspresse.com. Pour l'étranger, nous consulter. Conformément à la loi Informatique et Libertés no 27 du 6 janvier 1978, vous disposez d'un droit d'accès et de rectification aux données vous concernant. FLEURUS PRESSE RCS B 338 412 463. Photos non contractuelles. Chaque abonné recevra son cadeau dans un délai de 6 à 8 semaines après enregistrement de votre règlement.

Bravo, les menteurs,

pour vos mouettes qui n'aiment pas l'eau !

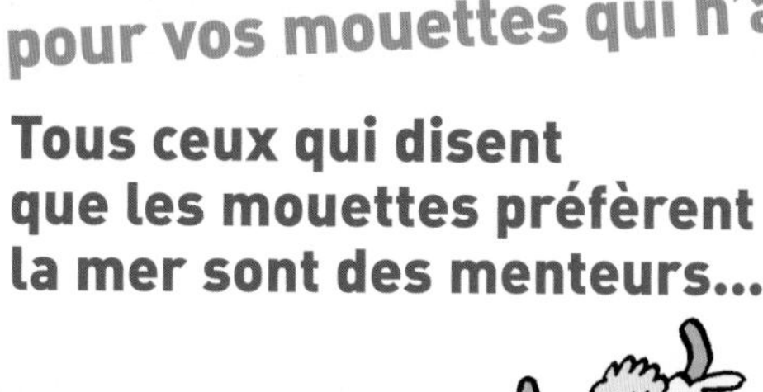

Tous ceux qui disent que les mouettes préfèrent la mer sont des menteurs...

Tristan
le roi des menteurs !

... car hier, dans le *Mouette Mag*, j'ai lu qu'à la campagne tous les nids d'hirondelles ont été loués par des mouettes.

Tristan, 9 ans, 21121 Fontaine-lès-Dijon

Au château

... car hier après-midi nous sommes allés à Versailles et nous avons vu une mouette en train de bronzer derrière un buisson !

Coline, 10 ans, 94100 Saint-Maur-des-Fossés

À quand les sushis ?

... car l'autre jour j'ai vu une mouette qui allait en ville pour s'acheter du poisson frais !

Anaëlle, 8 ans et demi, 22590 Pordic

Cap vers le désert

... car l'autre jour mon amie Pépette la mouette m'a dit qu'elle partait s'installer dans le désert et me donnait son appartement à la mer.

Anne-Thaïs, 12 ans et demi, 75017 Paris

Le secret

... car, la semaine dernière, j'étais très malade et je suis allée chez le docteur. Dans la salle d'attente, une mouette était assise à côté de moi. Je lui ai demandé : « Pourquoi êtes-vous ici, madame Mouette ? » La mouette m'a répondu : « C'est que j'ai le mal de mer ! »

Élise, 10 ans, 40700 Hagetmau

Une récalcitrante

... car l'autre jour à la plage j'ai vu le maître nageur qui était en colère parce qu'une mouette de son groupe ne voulait pas aller dans l'eau.

Martin, 10 ans, 92230 Gennevilliers

« Tous ceux qui disent que les castors ont les dents en avant sont des menteurs... »

Invente la suite de ce mensonge et envoie ton texte avant le 24 août à :

JE LIS DES HISTOIRES VRAIES
Le roi des menteurs
8, rue Jean-Antoine de Baïf
75212 Paris Cedex 13

Précise ton nom, ton âge, ton numéro de téléphone et ton adresse (jeu réservé aux enfants de 7 à 14 ans). Si tu vis à l'étranger, indique-nous une adresse en France métropolitaine où nous pourrons envoyer ton cadeau dans un délai de deux mois. Les textes sélectionnés paraîtront dans le numéro de novembre.

Les Bobard.

L'ogre met de l'eau

d'Hubert

dans son vin

Pour connaître le sens des expressions, tourne vite la page.

Pour mieux comprendre les expressions des Bobards...

Mettre de l'eau dans son vin
Être plus modéré.

Ça coule de source
C'est évident.

Dans ces eaux-là
Approximativement.

Être en eau
Transpirer, suer à grosses gouttes.

Être comme un poisson dans l'eau
Être très à l'aise.

Il coulera de l'eau sous les ponts
Il faudra beaucoup de temps.

Compte là-dessus et bois de l'eau !
N'y compte en aucun cas !

Se jeter à l'eau
Prendre soudainement une décision difficile ; se risquer à faire quelque chose.

Mettre l'eau à la bouche
Donner envie, allécher.

La goutte d'eau qui fait déborder le vase
Le petit détail de trop qui rend une situation insupportable.

Chat échaudé craint l'eau froide
Une mésaventure rend très méfiant.

Il y a de l'eau dans le gaz
Il va y avoir une dispute.

SOLUTIONS DES JEUX

PAGES 48-49 : MOTS CROISÉS
HORIZONTALEMENT :
1. scorbut - 2. hérisson - 3. loutre - 4. capitaine
5. Iroquois - 6. Terre-Neuve - 7. Montréal
8. baleine - 9. géographie.

VERTICALEMENT :
1. hermine - 2. température - 3. Saint-Malo
4. sable - 5. Bretagne - 6. sorciers
7. Christophe Colomb - 8. morue - 9. journal.

Le mot mystère est : « Érable ».

PAGES 50-51 : LES NŒUDS MARINS
1-B : Vitus Bering et le *Saint-Pierre*
2-D : Christophe Colomb et la *Santa María*
3-A : Magellan et le *Trinidad*
4-E : Vasco de Gama et le *São Gabriel*
5-C : James Cook et l'*Endeavour*

PAGES 52-53 : LA PÊCHE AUX OISEAUX
*** Le portrait intrus est le n° 2. Il y a 8 poissons et 9 oiseaux. Il faut donc capturer 1 oiseau pour qu'on ait le même nombre de poissons et d'oiseaux.**

L'heureux capitaine dit : « Moussaillons, je vois la côte ! Terminé, le mal de mer ! »
Mousse / ail / on / jeux / V'oie / la / côte
Terre / mi / nez / l'œufs / malle / de / mer

PAGE 54 : UNE ÎLE ACCUEILLANTE
L'ordre des images est le suivant : F G B E H C A D.

Sous les pavés la plage

TU TE RAPPELLES, LÉO, LES PARTIES DE BEACH-VOLLEY ?
PLAGE INTERDITE AUX CHIENS

... LES CONCOURS DE CHÂTEAUX DE SABLE...

ET QUAND ON PLONGEAIT DANS LES VAGUES...

OU QU'ON LÉZARDAIT PENDANT DES HEURES AU SOLEIL !

ET QUAND ON CHERCHAIT DES CRABES DANS LES ROCHERS, C'ÉTAIT TROP MARRANT !
AÏE ! AÏE ! AÏE ! AU SECOURS, JE SUIS ATTAQUÉE PAR UN MONSTRE MARIN !

EN PLUS, ON AVAIT LE DROIT DE MANGER TOUT CE QU'ON VOULAIT !
MMMMM...

AH ! LES SUCETTES GÉANTES... TOUT SIMPLEMENT DÉMENTES !
WOUF ?

SLURP ! AH NON, PAS POUR TOI !

... LES GLACES À L'ITALIENNE, SUBLIMES...
NONCH ! TOUCHOURS PASCH !
WAP !

ET LES GAUFRES CHOCOLAT-CHANTILLY... UN RÊVE !
OK, J'AI COMPRIS !
3

LA MEEEEEEEER, LE SOOOOOOLEIL
ET LE SAAAABLEUEUEU...
VOUS ME MANQUEZ
DÉJÀÀÀÀÀ...

QUELQUES HEURES PLUS TARD...
OUF ! ENFIN ARRIVÉS, DÉPÊCHEZ-VOUS, PRENEZ LE RESTE !

C'EST LE MOMENT DE S'ÉCLIPSER DISCRÈTEMENT...

JE VAIS ALLER VOIR MES COPAINS POUR LEUR RACONTER MES MALHEURS. EUX, AU MOINS, ILS ME COMPRENNENT.
4

ILS SONT
TOUS LÀ !

SALUT TARTINE !
ALORS, C'ÉTAIT COMMENT LES VACANCES ?
OH, LÀ, LÀ !
VOUS POUVEZ PAS SAVOIR !

NON, C'EST SÛR, ON N'Y EST JAMAIS ALLÉS, À LA MER, NOUS...
MOI, C'EST MON RÊVE !

ALLEZ, RACONTE-NOUS TOUT !
OH, OUI, TARTINE, EMMÈNE-NOUS À LA MER...

EUH... EH BIEN... C'ÉTAIT... EUH...
5

C'ÉTAIT TROP BIEN ! GÉNIALISSIME MÊME ! LES PARTIES DE BEACH-VOLLEY, LES PLONGEONS DANS LES VAGUES, LA CHASSE AUX CRABES...

SANS PARLER DES SUCETTES GÉANTES... TOUT SIMPLEMENT DÉMENTES, DES GLACES À L'ITALIENNE... SUBLIMES, ET DES GAUFRES CHOCOLAT-CHANTILLY... UN RÊVE !

AHHH, LA MER, LE SOLEIL ET LE SABLE, VOUS ME MANQUEZ DÉJÀ...
FIN

Les étranges animaux du Canada

En découvrant l'actuel Québec, Cartier et ses marins voient des animaux inconnus. Dans son journal, le capitaine évoque d'énormes oiseaux noirs et blancs (des pingouins), des ours tout blancs repérés à Terre-Neuve et des « bœufs marins », c'est-à-dire des morses. Mais ce sont les centaines de baleines noires rencontrées au cours du deuxième voyage qui lui paraissent les plus extraordinaires. Aujourd'hui ces baleines ont presque disparu. D'autres animaux, devenus plus rares, étaient alors très répandus : les saumons, les marsouins et les anguilles, et même les phoques, surnommés par le capitaine Cartier « poissons en forme de chevaux », que l'on pouvait croiser sur les rives du Saint-Laurent jusqu'au 19ᵉ siècle !

Au verso : Bébé phoque du Groenland (Canada).

Samuel de Champlain

Cet explorateur français est considéré comme le véritable fondateur du Canada. En 1603, Champlain quitte Honfleur. Cap vers le Canada pour développer le commerce de la fourrure et établir une colonie. Il y retournera vingt fois et passera près de trente ans sur place ! Il remonte le Saint-Laurent en barque, pénètre à l'intérieur des terres et dresse une carte des lieux. Il s'allie aux Algonquins et aux Hurons pour combattre leurs ennemis, les Iroquois. En 1608, il fonde la ville de Québec. Il fait venir de France des familles, des soldats, des missionnaires... Mais beaucoup d'entre eux ne survivent pas, à cause du froid ou du scorbut. Quand Samuel de Champlain meurt à Québec en 1635, la colonie compte à peine 200 personnes !

Au verso : Portrait de Samuel de Champlain (1567-1635).